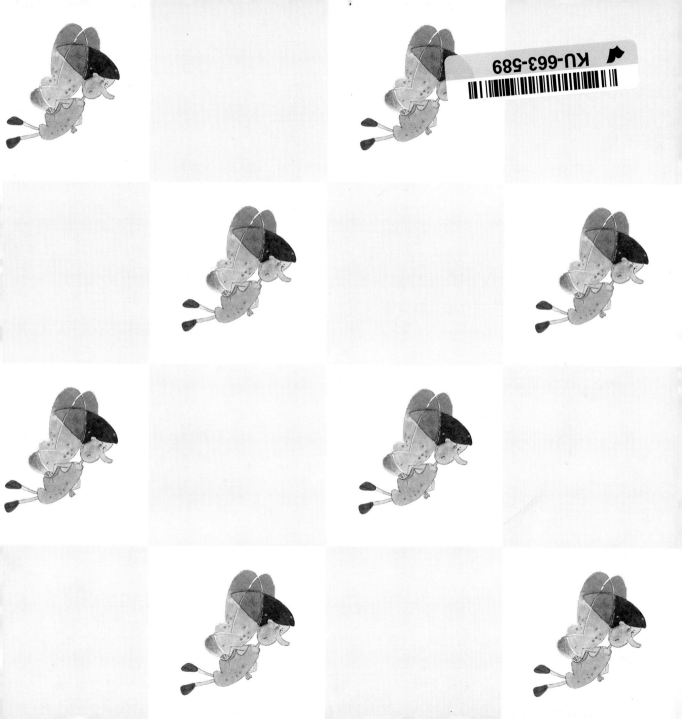

editorial**Sol90**

CUENTOS INFANTILES

© 2004 Editorial Sol 90, S.L. Barcelona

© De esta edición 2005, Diario El País, S.L. Miguel Yuste, 40, 28037 Madrid

Todos los derechos reservados

ISBN: 84-96412-61-X

Depósito legal: M-2538-2005

Idea y concepción de la obra: **Editorial Sol 90, S.L.**

Coordinación editorial: **Emilio López**

Adaptación literaria: **Alberto Szpunberg**

Ilustraciones: **Alejandra Viacava**

Diseño: **Jennifer Waddell**

Diagramación: **Teresa Roca**

Producción editorial: **Montse Martínez, Marisa Vivas, Xavier Dalfó**

Revisión editorial: **Santillana Ediciones Generales, S.L.**

Impreso y encuadernado en UE, abril 2005

Cuentos Infantiles

EL PAIS

Peter Pan

Basado en la novela de
James Barrie

Ilustrado por Alejandra Viacava

Wendy, Michael y John eran tres hermanos que vivían en una casa muy grande, a las afueras de la ciudad de Londres.

Todas las noches, Wendy, la hermana mayor, les contaba a Michael y a John las aventuras de un fantástico personaje llamado Peter Pan.

A Michael y a John les gustaba tanto oír aquellas historias, que se quedaban dormidos con la imagen de aquel héroe de cuento grabada en sus cabecitas.

Por eso, no era raro que todas las noches Michael y John soñaran con las andanzas de Peter Pan.

Una noche de invierno, mientras soñaban con la última aventura de Peter Pan, Michael, John y Wendy se despertaron sobresaltados y vieron una lucecita que, como un ratoncito, se movía muy rápido por la habitación.

–¿Es una estrella? –preguntó Michael muy extrañado.

–¿Es un pájaro de luz? –preguntó John muy sorprendido.

Solo Wendy, que era amiga de todo tipo de fantasías, creyó saber de quién se trataba.

Pero cuando ya se disponía a desvelar el secreto a sus hermanos, una voz muy dulce que provenía de aquella luz centelleante dijo:

–Sí, Wendy. Es verdad lo que estás pensando. ¡Soy yo!... ¡Soy... Campanilla!

–¡Campanilla! –repitieron al unísono Wendy, Michael y John, al mismo tiempo que saltaban de sus camas.

–¡¡¡Chisssst!!! No hagáis ruido, que se despertarán los mayores –rogó Campanilla a los niños–. Para las grandes aventuras, siempre es mejor que los mayores duerman...

Wendy, Michael y John hicieron caso a Campanilla y bajaron la voz. Pero las sorpresas de aquella noche mágica no habían acabado con la aparición de la revoltosa lucecita.

De pronto, otro suceso extraordinario hizo que los tres niños pronunciaran en voz alta un nombre mágico:

–¡Peter Pan!

¡Sí, era el mismísimo Peter Pan! ¡Aquel héroe tantas veces soñado estaba ahora allí, delante de sus narices!

–¿Queréis venir con nosotros? –preguntó Peter Pan–. Campanilla y yo os podemos llevar al País de Nunca Jamás, donde viven los Niños Perdidos.

–¿Al País de Nunca Jamás? –preguntó John, asombrado.

–¿Donde viven los Niños Perdidos? –se sorprendió Michael.

Wendy, que era la mayor y la que mejor conocía el mundo de Peter Pan, hizo la observación más sensata.

–Ninguno de nosotros sabe volar –dijo.

–Pero Campanilla sabe cómo ayudaros –dijo Peter Pan–. Basta con que os eche un poco de polvo mágico para que podáis alzar el vuelo.

Y así fue. Campanilla dio unos pases mágicos y, en un periquete, los cinco emprendieron viaje.

Esa noche, muchos pequeños de Londres y otras ciudades del mundo parpadearon somnolientos y asombrados cuando, como en un sueño, creyeron ver volando por el cielo a Peter Pan y a Campanilla, seguidos por tres niños.

Cuando ya sobrevolaban el País de Nunca Jamás, Peter Pan señaló un barco en medio del océano.

–Es el barco del Capitán Garfio –dijo–. Hay que tener mucho cuidado con ese personaje. Su gran ilusión en esta vida es hacerme prisionero.

–¿Quién es el Capitán Garfio? –preguntó Wendy.

–Hace mucho tiempo, navegando por el río Amazonas, un cocodrilo le devoró la mano. La dentellada fue tan fuerte que se tragó hasta el reloj –le explicó Peter Pan.

–¿Y qué culpa tenemos los niños de eso? –insistió Wendy.

–Ninguna –le aclaró Peter Pan–. Lo que sucede es que, cuando oye un tictac, se pone muy nervioso. Como no puede conmigo, descarga su furia en los más pequeños…

Al ver con cuánta amabilidad Peter Pan le contaba a Wendy la historia, y las sonrisas que le dedicaba, Campanilla sintió una pequeña comezón en su pecho.

"Estoy celosa –se dijo– y, aunque en mi vida he sorteado inmensos peligros y obstáculos, no puedo superar este sentimiento egoísta...".

Campanilla, absorta en esos pensamientos, aceleró su vuelo y se adelantó al grupo.

–¡Campanilla! –gritaron Peter Pan, Wendy, Michael y John–. ¿Adónde vas?

Pero Campanilla ya era una lucecita perdida en el cielo del País de Nunca Jamás.

Campanilla voló y voló y voló hasta cansarse. Finalmente, decidió reposar un poco en la Plaza de los Niños Perdidos.

–Por favor, Niños Perdidos –exclamó–. Ayudad a Peter Pan... Vuela con tres niños, pero hay un pájaro de mal agüero que los persigue...

Campanilla apuntó al cielo y, exactamente, señaló la figura de Wendy, que volaba entre Peter Pan y sus hermanos Michael y John.

Entonces, uno de los Niños Perdidos, el de puntería más certera, sacó de su bolsillo un tirachinas y lo cargó con su munición más infalible: una libélula.

Luego apuntó hacia Wendy y disparó.

La libélula atravesó el cielo del País de Nunca Jamás, se acercó a Wendy y le dijo al oído la fórmula mágica:

—Ajo más ajo, ¡vente abajo!

Y Wendy sintió que una fuerza superior a ella la llevaba hacia el suelo y la depositaba en la Plaza de los Niños Perdidos.

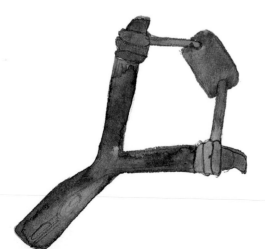

Los Niños Perdidos se sorprendieron al ver que Wendy no era ningún pájaro de mal agüero, sino una hermosa niña que, además, los cuidaba y, por las noches, les contaba los relatos de las fantásticas aventuras de Peter Pan.

Una noche, sin embargo, los momentos de tranquila felicidad se vieron interrumpidos. En la Plaza de los Niños Perdidos tronó una voz:

–¡Sois mis prisioneros!

Era nada menos que el Capitán Garfio.

Seguido de sus piratas, cada uno más feo que el otro, el Capitán Garfio irrumpió en la plaza.

En ese momento sonó el reloj del campanario y, al oír su tictac, el Capitán Garfio se puso furioso.

Sujetó con su garfio a Wendy y exclamó:

–Si queréis ver de nuevo a esta muchacha, decidle a Peter Pan que se entregue. ¡Será mi prisionero!

Y montados a caballo y tan rápidamente como habían venido, los piratas se marcharon en dirección a su barco.

Pronto, los Niños Perdidos le hicieron saber a Peter Pan lo que había ocurrido. El héroe dejó a Michael y a John con sus nuevos amigos y se dirigió hacia el barco de los piratas.

–¡Capitán Garfio! –exclamó–. Aquí me tienes. Suelta a Wendy.

El Capitán Garfio liberó a la muchacha, que, llevada en un bote, alcanzó tierra firme y llegó a la Plaza de los Niños Perdidos.

–¡Peter Pan está en manos del Capitán Garfio! –les dijo a sus hermanos y a sus amigos–. ¿Qué podemos hacer?

En ese momento, una lucecita bajó desde lo alto y, al tocar tierra, se convirtió en Campanilla.

–Perdóname, Wendy –fue lo primero que dijo–, te ruego que seas mi amiga.

Wendy, en cuyo corazón no tenía cabida el rencor, le respondió con una sonrisa, aunque pronto sus ojos se llenaron de lágrimas.

–Tenemos que salvar a Peter Pan –dijo–. ¡Está en manos del Capitán Garfio!

–Tengo un plan –contestó Campanilla–. ¡Vamos, seguidme!

En una balsa, Campanilla, Wendy, Michael, John y los Niños Perdidos se aproximaron al barco.

Campanilla se elevó y comenzó a danzar, rítmicamente, por encima del agua. Pronto, las olas empezaron a sonar con un ruido inconfundible: tictac, tictac, tictac…

–¡Basta, por favor! –gritó el Capitán Garfio–. ¡No tolero ese reloj!

–Suelta a Peter Pan –le ordenó Wendy–, o todo el océano será un inmenso tictac en tus oídos.

Peter Pan fue liberado y, mientras el Capitán Garfio huía en su barco, él y sus amigos regresaron a la Plaza de los Niños Perdidos.

Pocas veces la alegría fue tan grande en el País de Nunca Jamás como esa noche.

–Gracias, amigos –exclamó Peter Pan–. Me habéis salvado… Hemos vivido una de las aventuras más emocionantes…

Tanto fue el alboroto que John entreabrió los ojos y sacudió a Michael.

–¿Todo fue un sueño? –le preguntó.

Sí, quizás todo fuera un sueño; pero, antes de despertar, Wendy alcanzó a ver a Campanilla, que le arrojaba un beso desde los aires.

fin

Actividades

¿De qué color es?

Escribe en el recuadro que corresponda estos cinco colores: **AMARILLO**, **AZUL**, **NARANJA**, **ROSA** y **ROJO**. ¡Es muy fácil!

¡Vaya desorden!

Reconstruye las siguientes palabras, que aparecen en el cuento, ordenando correctamente sus letras.

j r l e o = _____

L o d s e n r = _____

e ñ s u o = _____

i ñ n a = _____

¿Sabías qué...?
Peter Pan, el fantástico personaje creado por el escritor británico James Barrie, tiene una estatua en los jardines de Kensington, en Londres.

¿Recuerdas?

(1) ¿Qué le sucede al Capitán Garfio cuando oye un tictac?

☐ Siente el deseo de comprarse un despertador.

☐ Se pone nerviosísimo.

☐ Le entran ganas de dormir.

(2) ¿Cómo se llama el país donde viven los Niños Perdidos?

☐ El País de Siempre Jamás.

☐ El País de Nunca es Tarde.

☐ El País de Nunca Jamás.

(3) ¿Cómo consiguen volar Wendy, Michael y John?

☐ Se compran una avioneta.

☐ Montan en globo.

☐ Campanilla los rocía con polvo mágico.

Vamos a contar

Cuenta los personajes que hay en cada uno de los dibujos y escribe cuántos son dentro de los círculos.

Una adivinanza

Tiene agujas y no cose,
no se mueve, pero anda,
si le das cuerda funciona
y el tiempo siempre señala.

¿Quién lo ha dicho?

Relaciona el personaje con la frase que ha pronunciado. Para ello, escribe en el círculo en blanco el número que corresponda.

1. ¡Sois mis prisioneros!

2. ¡Soy yo!... ¡Soy... Campanilla!

3. ¿Es un pájaro de luz?

4. ¡Capitán Garfio! Aquí me tienes. Suelta a Wendy.

Sopa de letras

Encuentra las siguientes palabras en horizontal y vertical: **RELOJ, PETER PIRATAS, CIELO, BARCO,** y **GARFIO**.

G	A	R	F	I	O	O	S	T	L
H	R	C	O	P	E	A	Z	I	A
I	P	I	R	A	T	A	S	G	P
M	B	D	E	R	E	L	O	J	E
E	A	O	E	D	R	R	R	E	T
N	R	A	S	I	A	H	S	A	E
E	C	P	V	S	E	L	U	N	R
A	O	D	C	I	E	L	O	A	O

Completa

Al copiar este fragmento de la página 22 se han escapado algunas palabras rebeldes. ¿Puedes volver a colocarlas en su sitio?

–Por favor, _____ –exclamó–. Ayudad a _____...

Vuela con _____ niños, pero hay un _____ de mal agüero que los persigue...

Campanilla apuntó al _____ y, exactamente, señaló la figura de Wendy, que volaba entre Peter Pan y sus hermanos Michael y John.

Peter Pan

tres

pájaro

cielo

Niños Perdidos

Soluciones

■ Página 38

ROJO
ROSA
NARANJA
AZUL
AMARILLO

■ Página 39

reloj, Londres, sueño, niña

■ Página 40

(1) Se pone nerviosísimo. **(2)** El País de Nunca Jamás. **(3)** Campanilla los rocía con polvo mágico.

■ Página 41

De izquierda a derecha y de arriba a abajo: **4, 5, 8, 3**

■ Página 42

■ Página 43

G	A	R	F	I	O	O	S	T	L
H	R	C	O	P	E	A	Z	I	A
I	P	I	R	A	T	A	S	G	P
M	B	D	E	R	E	L	O	J	E
E	A	O	E	D	R	R	R	E	T
N	R	A	S	I	A	H	S	A	E
E	C	P	V	S	E	L	U	N	R
A	O	D	C	I	E	L	O	A	O

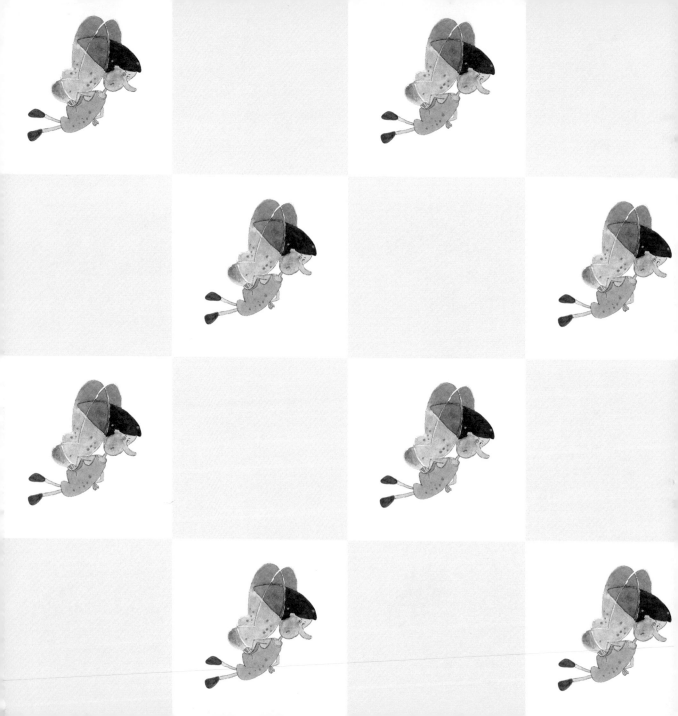